Tu ne peux pas m'attraper !

Michael Foreman

GALLIMARD JEUNESSE

– Bonne nuit, Petit Singe, dit maman.
Fais de beaux rêves.
– Non, il est trop tôt pour dormir,
répondit Petit Singe…

Tu ne peux pas m'attraper !

Vous ne pouvez pas
m'attraper !

GRRRRRR !

GARRRROUUUU !

Nous allons t'attraper et te…

Vous ne pouvez pas m'attraper !

HRRRRUMF !

HARRROUUUU !

Nous allons t'attraper et te...

OUALLUMF, OUALLUMF, OUALLUMF,

OUALLOUUUU !

Nous allons t'attraper et te…

Vous ne pouvez pas m'attraper !

CRICMIAM ! CRACMIAM ! CROCMIAM !
Nous allons t'attraper et te...

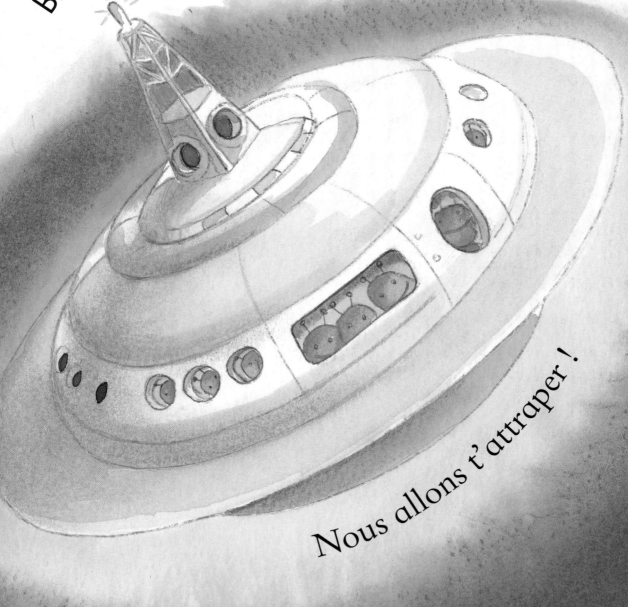

Vous ne pouvez pas m'attraper !

Vous ne pouvez pas m'attra...

YOUHOU ! YOUHOU !

Nous allons t'attraper et te...

VOUS NE POUVEZ PAS...

– Allez, viens, Petit Singe,
au lit maintenant…

Bonne nuit, dors bien.
Fais de beaux rêves.

Traduit de l'anglais par Anne Krief

ISBN : 2-07-057044-4
Titre original : *Can't Catch Me !*
Publié par Andersen Press Ltd., Londres
© Michael Foreman 2005, pour le texte et les illustrations
© Gallimard Jeunesse 2005, pour la traduction française
Numéro d'édition : 135090
Loi n° 49-956 du 16 juillet 1949
sur les publications destinées à la jeunesse
Dépôt légal : août 2005
Imprimé en Italie par Grafiche AZ